图书在版编目(CIP)数据

怕热的小猪 /〔英〕戈尔德萨克编;〔英〕斯莫尔曼绘;柳漾译. 一武汉:湖北美术出版社,2011.9
(和朋友们一起想办法)
ISBN 978-7-5394-4422-2

Ⅰ. ①怕… Ⅱ. ①戈… ②斯… ③柳… Ⅲ. ①儿童文学 - 图画故事 - 英国 - 现代 Ⅳ. ①I561.85

中国版本图书馆CIP数据核字(2011)第189323号

怕热的小猪

〔英〕加比·戈尔德萨克 / 著　〔英〕史蒂夫·斯莫尔曼 / 绘
柳　漾 / 译
责任编辑 / 吴海峰　陈喜嘉
装帧设计 / 王　中
美术编辑 / 胡馨予
出版发行 / 湖北美术出版社
经销 / 全国新华书店
印刷 / 广东广州日报传媒股份有限公司印务分公司
开本 / 787mm×1092mm　1/12　10印张
版次 / 2011年10月第1版　2013年10月第13次印刷(1308061)
书号 / ISBN 978-7-5394-4422-2
定价 / 36.00元(全四册)

The Mud Bath

Copyright in the Chinese language translation (simplified character rights only) © 2013 PARRAGON Publishing (China) Limited;
Copyright in the original English version © Parragon Books Limited.
The copyright in this Chinese language version (simplified character rights only) has been solely and exclusively licensed to Love Reading Information Consultancy (Shenzhen) Co., Ltd.
All rights reserved.

本书中文简体字版权经 Parragon Publishing (China) Limited 授予心喜阅信息咨询(深圳)有限公司,由湖北美术出版社独家出版发行。
版权所有,侵权必究。

策划 / 心喜阅信息咨询(深圳)有限公司　咨询热线 / 0755-82705599　销售热线 / 027-87396822　http://www.lovereadingbooks.com

和朋友们一起想办法

怕热的小猪

〔英〕加比·戈尔德萨克 / 著　〔英〕史蒂夫·斯莫尔曼 / 绘　柳　漾 / 译

长江出版传媒　湖北美术出版社

这天，天气变得很炎热，农场的动物们又热又渴。农场主弗瑞德先生一边得意地吹着口哨，一边拿着水桶走近水龙头。

弗瑞德拧开水龙头，只听到吱吱响，却不见一滴水流出来。接着，他试了试院子里所有的水龙头，没有一个能流出水来。

"真不敢相信！"弗瑞德冲太太珍妮喊，"停水了！"

"我马上打电话给自来水公司。"珍妮回答说。

这时候，牧羊犬帕奇正准备去查看羊群。在经过小猪波莉家的时候，他听到波莉呼噜呼噜地在发牢骚："我的泥水坑已经干了！要是再不洗个泥水澡，我肯定会蒸发掉的！"

"我去告诉弗瑞德先生。"帕奇说，"他肯定有办法！"

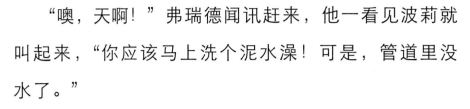

"噢，天啊！"弗瑞德闻讯赶来，他一看见波莉就叫起来，"你应该马上洗个泥水澡！可是，管道里没水了。"

就在这时，他听到鸭子多蒂在呱呱叫。

"有办法了！" 弗瑞德拎起水桶，跑到池塘边开始盛水。

"呱呱，呱呱！" 多蒂生气地大叫——池塘里的水也快不够鸭子们游泳了。

"我还是去溪边提水吧。" 弗瑞德做出决定。

弗瑞德拎着两只水桶，在溪边装满水，然后向波莉家走去。他把水倒在波莉平时洗澡的泥水坑，接着再去溪边提水。

　　弗瑞德来来回回地忙个不停。可是，在停下来休息时，他简直不敢相信自己的眼睛——波莉的泥水坑还是和刚才一样干枯！

　　"天啊！水蒸发得比我倒水还快！"弗瑞德有点儿无奈。

"嗯，也许老马哈利能帮上忙。"弗瑞德这样想。但是，当他把两桶水放到哈利的背上时，哈利跺了跺脚，一动不动。

"嘶嘶，嘶嘶！"哈利抱怨着——这么热的天气还要他工作，他不乐意。

"噢，天哪！"弗瑞德一边用帽子给波莉扇风，一边说，"怎么才能让你洗上泥水澡呢？"

别担心，我有办法！

这时，弗瑞德发现挤奶室的墙角有一卷塑料水管。

"别担心！我有办法！"他随后抓起水管，跑回储物间。

弗瑞德在储物间里捣鼓了一会儿。

不一会儿，储物间的门开了。动物们都往后退，弗瑞德推着一台套着水管的奇怪机器走了出来。

"大家快看！"弗瑞德解
释说，"这是泵动式太阳能抽水机，有了它很快大家就能
痛痛快快地洗澡了！"

弗瑞德推着抽水机走向溪边，动物们都跟着他，但始终保持一段安全的距离。

"他总是这样，真拿他没办法！"哈利嘶嘶地说着，摇了摇头。

　　弗瑞德转动抽水机上的开关，动物们都屏住了呼吸，大家听到抽水机开始吱吱地响。

　　"现在，大家等着出水吧！"弗瑞德大喊。不过，水管里没什么动静，一滴水也没出来。

　　"啊，水管肯定堵住了。"弗瑞德拿起水管末端瞄了瞄。

突然，水管发出嘶嘶声，并且开始蠕动。

"哗啦！"水管一下子喷出水来，追赶着弗瑞德，在波莉的猪舍周围扭来绕去，大家被吓得到处乱跑。

弗瑞德跌坐在小猪波莉旁边。

"看来你还是没法洗澡！"这时，弗瑞德突然感到有水滴落在头上。

"啊，太好了，下雨啦！"他欢呼着，开始哼起小曲儿。

"汪汪，汪汪！"帕奇抬头看着树上，同样叫个不停。弗瑞德也抬头看了看，原来不是下雨，而是水管缠在了树上，这回大家都能痛快地洗个澡了。

下雨好，下雨妙，

小猪波莉淋了雨水呱呱叫！

就在这时，珍妮来到猪舍旁边，她带来了好消息。

"自来水公司说刚才有一处水管爆了，现在已经修好，水龙头应该很快就可以出水了。"

珍妮刚说完，院子里所有的水龙头都哗哗地流出水来。这下，小猪波莉、牧羊犬帕奇，还有其他动物，全都跳进泥水坑，开始洗澡。

"要么不下雨，要么就下倾盆大雨！"弗瑞德笑着说。

培养孩子学会解决问题的图画书

在一些家长看来，孩子碰到问题无法自己解决，需要大人包揽代劳。实际上，即使是很小的孩子，在家长或老师的启发和引导下，也会运用一些策略和办法来解决问题。《和朋友们一起想办法》系列就是一套培养孩子"想办法，解决问题"的图画书，它通过生动有趣的农场故事，教会孩子用正面积极的态度面对困难，不怕挫折，善于思考问题，寻找解决的方法，同时学会进行团队合作。

《和朋友们一起想办法》系列共8册，故事符合4~8岁儿童的心理特征和接受能力，主题明确，小故事中包含大智慧。书末精心设置了《父母必读——如何帮助孩子培养解决问题的能力》，为家长提供切实可行的提升孩子解决问题能力的指南；《聪明宝宝加油站》通过提问式的互动，让家长或老师可以轻松地与孩子进行沟通，引导孩子用开放式的思维方式，参与解决问题的具体事例。

用欣赏的眼光看待孩子解决问题的方式及能力

孩子毕竟是孩子，他们眼中的世界与成人是不同的。他们解决问题的方式及能力也许不合乎大人的观念，但是我们要用一种欣赏的眼光看待它。给予孩子一个欣赏的眼神，一句鼓励的话语，这些都能给予孩子无穷的力量，孩子会在这些眼神和行动中更积极地解决遇到的问题。

孩子调皮、淘气，在多数父母眼里是不听话、好争斗的表现，所以很为此头疼。其实，俗话说："淘丫头出巧，淘小子出好。"在很多情况下，调皮、淘气是孩子聪明、富于想象力和创造才能的表现。而从某种意义上讲，孩子不听话，恰恰说明他有主见，而所谓"好争斗"，同样反映了他有进取心。作为父母，要善于从孩子的淘气中看到他的创造性、想象力和求知欲，然后通过赏识和鼓励，让孩子在调皮、淘气中获得知识和乐趣，掌握做事的方法，提升解决问题的能力。这样不仅可以满足孩子好动和求知的心理，而且还可以让孩子学到更多的知识和技能，从而收到更加理想的效果。

孩子是未来的主宰者，他们缺乏的只是独立解决问题的能力；我们只要帮助孩子拥有了解决问题的能力，就等于给予了孩子未来的一切。

聪明宝宝加油站

小朋友，看完了《怕热的小猪》，让我们来回忆一下故事吧，看看你还记得多少有趣的情节。

1. 你见过小猪吗？故事中的小猪波莉为什么一定要洗个泥水澡？

2. 鸭子多蒂为什么不让弗瑞德去她的池塘里提水呢？

3. 一开始弗瑞德想了哪些办法想让小猪洗澡？

4. 故事的最后，缺水的问题是怎么解决的？

如果让你想办法，你会用哪些办法帮农场里的动物洗上澡呢？（家长或者老师也要想想办法，并且一定要记得对小朋友提出的建议给予鼓励和掌声呀！）

你解决问题的方法：　方法1：　方法2：　方法3：　方法4：